作繪者／**鈴木守**

一九五二年出生於日本東京。東京藝術大學肄業。
主要繪本作品有《公車來了》、《渡雪》、《向前看、向旁看、向後看》、
《有趣的動物圖鑑》、《赫爾辛家的太陽日記》、《時光飛吧》、
《大家以前都是小嬰兒》、《鳥巢》、《世界鳥巢》、《找到鳥巢了》、
《鳥巢研究筆記》、《我的鳥巢繪畫日記》等。
曾以《黑貓五郎》系列榮獲紅鳥插圖獎。

● 封面 ● 三輪壓路機　● 封底 ● 有推土功能的挖土機
● 書名頁 ● 輪胎壓路機

車子修馬路

文·圖／鈴木守　翻譯／陳昕

凹凸不平的馬路，
讓大家覺得好困擾。

道路巡察車

道路巡察車到現場實地勘查，

決定重新鋪設馬路。

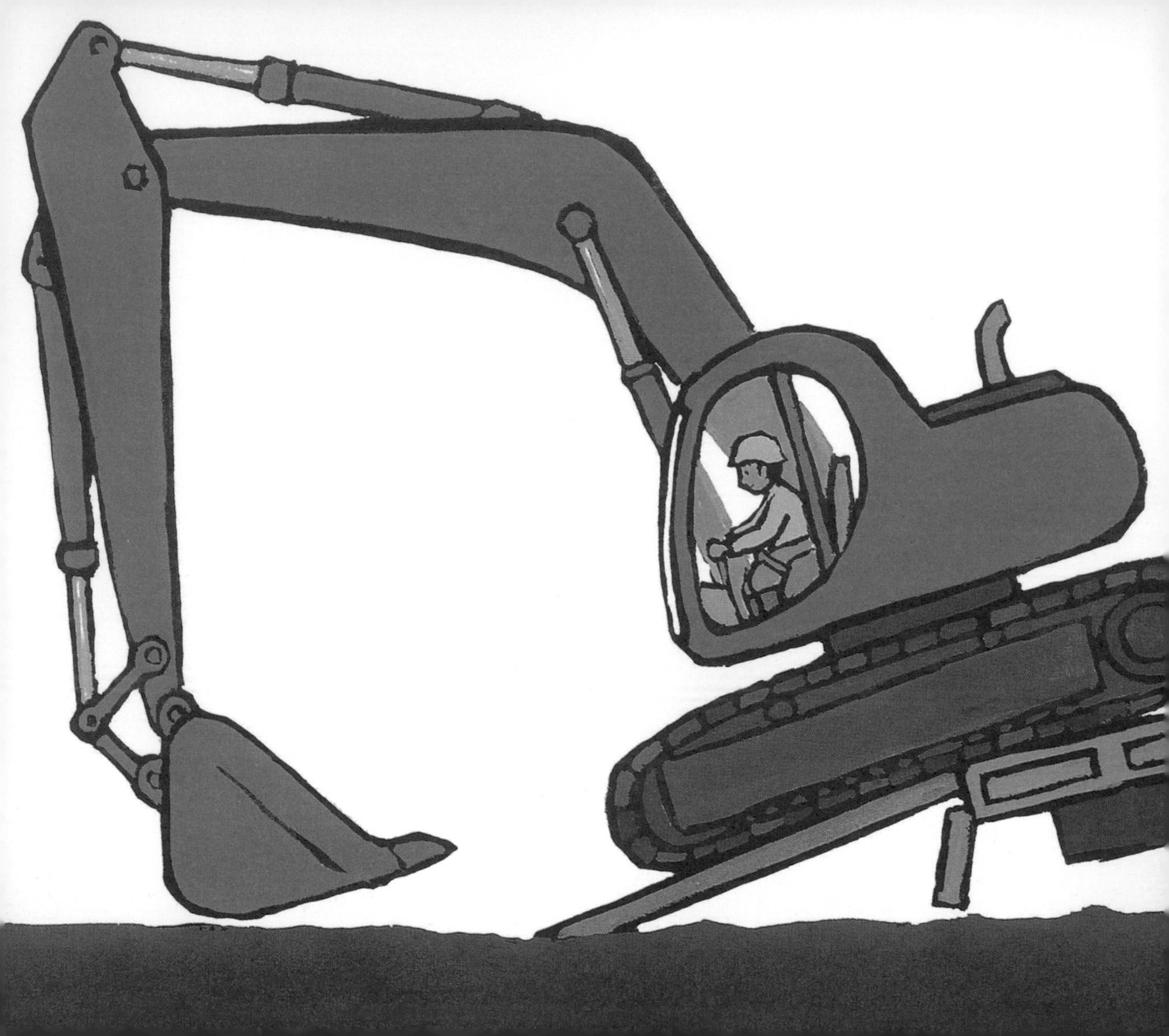

卡車載著挖土機來了。

路面切割機把道路切開，

再用挖土機把瀝青挖起來。

將挖起的瀝青，
倒進傾卸卡車裡。

傾卸卡車運來了

新的碎石。

平ㄆㄧㄥˊ路ㄌㄨˋ機ㄐㄧ將ㄐㄧㄤ碎ㄙㄨㄟˋ石ㄕˊ刮ㄍㄨㄚ平ㄆㄧㄥˊ。

再用三輪壓路機

滾壓碎石。

傾卸卡車運來瀝青，

由鋪裝機鋪在路面上。

三輪壓路機再次進行滾壓，
讓路面更結實。

輪胎壓路機接著滾壓，
讓路面更平整。

道路畫線機在路上
畫出白線、黃線，
以及人行道。

工作人員用小型壓路機
鋪設人行道，
並把路標架設起來。

禁止穿越

再用小型挖土機
在人行道上種植樹木。
高處作業員
裝上了行人號誌燈。

路ㄌㄨˋ面ㄇㄧㄢˋ變ㄅㄧㄢˋ得ㄉㄜˊ好ㄏㄠˇ整ㄓㄥˇ潔ㄐㄧㄝˊ。

行人穿越道前
停了一臺鏟土機。

凹凸不平的馬路，變得好平整，
大家都很開心！

繪本 ・0307

車子修馬路

文、圖｜鈴木守　翻譯｜陳昕
責任編輯｜黃雅妮、張佑旭　封面設計｜晴天　行銷企劃｜林思妤
天下雜誌創辦人｜殷允芃　董事長兼執行長｜何琦瑜
兒童產品事業群　副總經理｜林彥傑　總編輯｜林欣靜　主編｜陳毓書　版權主任｜何晨瑋、黃微真
出版者｜親子天下股份有限公司　地址｜台北市 104 建國北路一段 96 號 4 樓　電話｜（02）2509-2800　傳真｜（02）2509-2462
網址｜ www.parenting.com.tw　讀者服務專線｜（02）2662-0332　週一～週五：09:00~17:30
讀者服務傳真｜（02）2662-6048　客服信箱｜ parenting@cw.com.tw
法律顧問｜台英國際商務法律事務所・羅明通律師
製版印刷｜中原造像股份有限公司　總經銷｜大和圖書有限公司 電話（02）8990-2588
出版日期｜ 2012 年 5 月第一版第一次印行
2022 年 11 月第二版第一次印行
定價｜ 280 元　書號｜ BKKP0307P　ISBN ｜ 978-626-305-324-3 (精裝)
訂購服務
親子天下 Shopping ｜ shopping.parenting.com.tw
海外・大量訂購｜ parenting@cw.com.tw
書香花園｜台北市建國北路二段 6 巷 11 號　電話（02）2506-1635
劃撥帳號｜ 50331356　親子天下股份有限公司

立即購買 >

國家圖書館出版品預行編目（CIP）資料

車子修馬路 / 鈴木守文 . 圖 ; 陳昕翻譯 . --
第二版 . -- 臺北市 : 親子天下股份有限公司,
2022.11
40 面 ; 15x17.7 公分 . -- (繪本 ; 307)
注音版
譯自 : どうろをつくる じどうしゃ
ISBN 978-626-305-324-3(精裝)
1.SHTB: 認知發展 --3-6 歲幼兒讀物

861.599.　　111014462